Freelancer求生血淚史

作者：　　陳小球
編輯：　　清君
設計：　　Ryan Mo @廢青設計 C
出版經理：望日

出版：　　星夜出版有限公司
網址：　　www.starrynight.com.hk
電郵：　　info@starrynight.com.hk

香港發行：春華發行代理有限公司
地址：　　香港九龍觀塘海濱道 171 號申新證券大廈 8 樓
電話：　　2775 0388
傳真：　　2690 3898
電郵：　　admin@springsino.com.hk

台灣發行：永盈出版行銷有限公司
地址：　　231 新北市新店區中正路 499 號 4 樓
電話：　　(02)2218-0701
傳真：　　(02)2218-0704

印刷：　　嘉昱有限公司

圖書分類：流行讀物／繪本／職場
出版日期：2019 年 7 月初版
ISBN：　　978-988-77905-6-3
定價：　　港幣 98 元／新台幣 430 元

Freelancer求生血淚史

陳小球

PREFACE
推薦序

FREELANCER
SURVIVAL
MANUAL

2019

草日大大，可唔可以幫小球寫個推薦序呀？
陳小球的主編
吓……好忙喎我……
咦？題材新鮮……有笑有淚……有趣喎～
結果他忘記了自己的新書還欠封面封底內頁插圖和一個序……
草日的主編

—草日

“

睇完球姐本《Freelancer 求生血淚史》即刻令我諗返初入行時嘅辛酸嘢，冇十成都有九成似，亦可以畀想入行嘅朋友仔借鏡，引以為鑒，好實用呀！

—咳神

“

每次睇小球嘅漫畫都好有共鳴，做 Freelancer 已經夠辛酸，做畫師更加係奴隸生活，我真係睇到笑中有淚。希望大家睇完施捨幾個發財 job 畀佢（再漏啲畀埋我），咁佢就會破涕為笑，再畫多幾本，又再笑過！

——阿塗

目錄

A

B

C

D

E

CH 00

前言

FREELANCER
SURVIVAL
MANUAL

2019

各位好，呢本嘢主力係講我工作接job時所發生嘅一些金錢與心理戰嘅角力。
首先就講下初初出嚟接job所發生嘅「俾人呃事件」吧！

要知道初出茅廬，並唔太清楚市價係幾多，而其實做呢行確實冇一個標準嘅價格。
我用得你嘅圖即係欣賞你啦！有錢你袋又幫你宣傳呀！
當然自己亦算係易信人嗰套，所以覺得錢少少都冇乜所謂。
幫我做嘢有好多機會！阿乜大老細同乜乜明星都係我啲friend嚟㗎！

你唔使驚冇得做㗎，
我哋大把工可以畀你！
到咗而家……
而家一律見訂金先有偈傾。
哈哈哈！睇你個樣學咩人接
job呀，你一定冇嘢做啦！
類似情況經常發生，我都話知佢。
有機會再畫下呢件事。
好好好，咁你就
當我失業啦！
每次傾價錢，同樣係
一場角力。
唔，呢項工作要
收$xxxx。
都可以，但某個部份可
能會做得簡單啲。
我筆直有限，要同
同事商量下先。
$yyyy得唔得？
客

基本上我所有成績表喺做過一次暑期工後都未拎過出嚟。

新客比較想知你之前接過乜工作，所以一份內容充實嘅履歷表好重要，特別係你曾經幫一啲比較多人識嘅機構畫過嘢。

至於好多人關心嘅問題之一，就係點樣先有job接，其實主要都係取決於——
朋友
介紹人

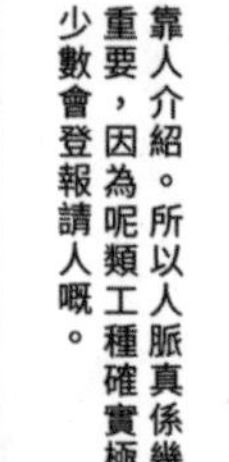
靠人介紹。所以人脈真係幾重要，因為呢類工種確實極少數會登報請人嘅。

最後都要同睇緊呢本書嘅讀者，甚至我班客講返聲先，雖然呢本書中多數講我點俾人剝削，但事實上又唔係個個都對我差，亦有好多對客我幾好而且爽快嘅。
多謝大家!!

CH-00 前言

CH 01

金融才子

FREELANCER
SURVIVAL
MANUAL

2019

咦，呢啲係你畫㗎？睇落唔錯喎！
係呀，隨便睇下。
好耐好耐之前嘅漫畫節某日，有位阿生走嚟我個檔度望下。
XXX公司
Paul Yu
我係乜乜乜公司嘅，希望漫畫節後同你有機會傾下合作啦。
鏡頭一轉，到漫畫節完咗嘅日子，我約咗阿Paul去旺角快餐店傾幾句，了解下佢份工作想搞啲乜。
大家

我公司想同你合作設計一個新角色出精品。嗱，呢個品牌都係我哋公司㗎。
請畀我睇睇，係file夾同杯墊嗎？
咦呢個咪係幾出名嘅「永遠的朋友」熊仔？
係呀，你返去幫我設計咗隻動物先，畀我睇完再研究下可以點搞落去。
你放心，好多精品公司都同我哋合作，如果做得掂，一定會好多人同你合作！
咁我返去畫下草稿先，之後再聯絡你啦吓。
好！咁呢啲樣本你就拎返去研究下啦。你畫完就可以打畀我㗎喇！

一返到屋企，我就立即畫唔同嘅sketch。唔使幾日已畫咗一堆出嚟。
阿Paul，啲sketch我畫咗一堆喇，幾時方便出來過目下同傾幾句呢？
呀，唔好意思呀，你就當之前我哋冇傾過啦！
因為我
已經轉咗行
做金融喇！

結果我成堆畫作廢咗。
過咗兩個禮拜後，金融風暴來了！
熊來了！
不要怕，只是技術性調整！
預知要低價入市？

$108.5
Dead line!
8:00a

CH 02

龜苓膠會

FREELANCER
SURVIVAL
MANUAL

2019

我係之前個阿Paul，我有個開涼茶舖嘅朋友好想同你合作。唔知你有冇興趣？
好呀，麻煩幫我介紹啦！
你好呀，我係阿Paul個friend Woody，今次想你幫我設計成個branding畀我間舖用㗎！
你好，多多指教。
作品集
我間舖喺廣州賣龜苓膏。香港嗰間「水地獄」個老細都係我哋朋友嚟㗎！
咁把炮？
我想你幫我砌過新嘅宣傳單，重有易拉架、餐牌、招牌等加埋十樣嘢，都好多嘢要你幫手㗎！
好，等我睇睇先。

至於我嘅預算係…
$XXXX
(四位頭)
我就好支持年輕人嘅，教你吖，我畀訂金就代表尊重你，第日接job時你就要識收訂喇！
$500
雖然計落唔多錢，但佢畀得咁多重要嘢我處理，應該都幾重視呢份project㗎喇，算啦今次當學嘢啦！
係喎，好似話個logo要用毛筆字寫，但我唔識毛筆字，好難搞㗎喎！
唔緊要，試下先啦，唔識先算啦。
然後我就返屋企開工喇。

做乜唔係佢畀埋相我嘅？要我拎個龜苓膏兜返去影相……
唉，明明係請攝影師做㗎。
影相
Icon
龜
Menu
二奶架
Logo字
龜
水果涼粉
我做咗咁多啦，請你過目下……
重唔知點解每個禮拜都要去旺角快餐店報告一次。
有關個毛筆字logo呢，我點睇都唔太滿意。
?

於是我搵咗其他人寫呢個logo喇，你睇幾咁剛勁，我就好滿意喇！
用唔着你張圖，所以我要扣返兩百蚊！
哇乜咁都有，我唔係冇做嘢，連兩百蚊都扣！
成個工程花咗我個半月，最後喺火車站收埋尾數。
嗯……
上水MTR
好，你燒埋隻碟畀我，我再畀埋個尾數你，堆圖我用住先啦。
XXX CD
過咗三年我上廣州，個招牌一大堆嘢重用緊……咁叫做滿意定冇人幫佢做？
龜XX
水果涼粉

CH 03

冇訂又做

FREELANCER
SURVIVAL
MANUAL

2019

又過咗排。又係呢個阿Paul，今次又介紹咗個大陸女人畀我話幫佢畫一系列風扇仔嘅圖。
例子
大約係咁樣嘅東西，中間係畫卡通圖。
sketch
又係例子
於是我畫咗一堆公仔畀佢，線條盡量簡單清楚。
你好呀，我畫咗啲草稿畀你呀，唔知得唔得呢？
咁畫完sketch，當然要畀佢過下目先，因為佢係廣州人，當然要打長途啦唉。
QD
圓D
佢
唔得呀，我唔識啲咩線稿，你完成咗上晒色先再畀我睇啦！
上晒色
乜有得咁嘅咩？

講極你都唔明，我係要呢啲呀！發個電郵你睇啦！
叮！
好……
我哋嘅設計師水平唔錯，你要向佢多多學習。佢搞得非常完美，我就係要呢啲嘢！
呢堆圖係……
出面啲老翻圖？
故事發展到呢度，我已經知道自己中咗伏中之伏，但而家唔上唔落咁，只好取兩邊平衡。
抄得好神似……
我已經畫好十隻公仔啦，你睇睇有冇問題啦。
……
只是例子
FINISH! (?)

辛苦晒啦，不過銀行冇開門我暫時無法過數畀你喎……
WOF!
結果我竟然上咗廣州問佢攞錢，我喺廣州工作嘅親戚唔放心，重跟埋我一齊去。
港紙
4K
之後又嚟咗第二份job，今次設計十二生肖利是封，但呢次佢冇畀訂金我。
你知唔知你好多嘢問呀！咁小嘢都要問我blablabla……
……
攞到手痛
BaBaBaBa
speaker phone
之後我又打畀佢問進度……呢次我直接畀完成稿佢算，次次打去都壓力勁大。
Ba Ba Ba Ba

咁多要求咪請個文員仔囉！你訂金都冇畀過呀！
真係請個文員仔都好過請你呀！
收線
咁嘅工做唔做都罷啦！連訂都冇就嘈生晒！
哦，好啦……今次當跌咗算……
於是呢十二張圖就係我唯二走數冇接嘅job。
估唔到過咗一排個女人竟然又搵返我。
我最近想搞個網頁同標誌，需要上嚟廣州五日，二千蚊你嚟唔嚟？
我手上有新工作比較忙，所以唔使啦多謝先。
唔上呀！我都有另一份工做緊啦！睬你有味咩！

Freelance

CH 04

管過界

FREELANCER
SURVIVAL
MANUAL

2019

呢個係一個關於脫離麻煩嘅故事……
話說是咁的，我朋友成功同B公司簽約，成功出版咗三本繪本。
本來佢同責任編輯A一直都相處融洽，相安無事。
A
但另一位完全唔關佢事嘅編輯B又成日都想插手佢本嘢嘅內容。但因為唔係跟佢，所以唔理佢。
不過有時上到出版社同編輯A傾完內容之後，編輯B又總會趁走之前借啲意話要同我朋友傾兩句內容咁……
Come on
喂唔好趕住走，傾兩句先啦。

你星期六出嚟啦，我拎埋堆書畀你加食飯傾計啦！
到星期六，我特登入屯門拎書。
Sorry 有少少感冒…
Hi，阿Hey，等咗好耐啦？
佢負責倉務，所以一定要搵佢。
呢度十五本，你數下啦。
你睇下食乜，我請嘅。
MENU food
多謝晒。
Menu food
我特登印咗第二集啲內容出嚟，想同你講下第三本有乜需要改善呀。
無孔不入!?
第二期 黑白影印 記錄
厚
MENU

咳咳咳咳咳……
點呀，你病得好嚴重咁喎，冇事吖嘛？
咳咳咳咳
咳咳……係呀，我唯有下次先同你傾，費事傳染你啦！
咁我走先，下次再傾。
好啦，等你好返再傾啦。
咳咳……
我朋友走咗後
唉，頭先佢又想捉我傾本嘢呀，到底關佢乜事啫！
咪鬼理佢啦，要畫乜你自由發揮就可以喇，佢份人乜都關佢事㗎啦！

CH-04 管過界

CH 05

KOL 之像

FREELANCER
SURVIVAL
MANUAL

2019

某日，我約咗某個打機Youtuber見面。
佢係由網友介紹，想畫返個個人Q版look，所以我哋就約咗出嚟見。
呢份Q版先收訂金三成，尾數七成我喺完工時再收。
訂-3成
尾-7成
佢有畀啲佢喺game中嘅服裝我跟，傾談過程亦非常順利。
返去後我就開始幫佢畫sketch，點不知……
吓……
分歧點出現了
我先根據佢要求畫咗個初步sketch。

唔……好似唔係好啱
我想要嗰種風格……
咁你想要嘅係？
例如咁呢。
例如咁呢。
呢張係我畫嘅吊飾。
咁畫法應該得啩。
重係怪怪地，唔知點形容好……
咁你到底想點喋！
呢種先係我想要嘅感覺嚟。
計画通り
吓……
大佬，呢兩種根本兩種風格嚟喋，我睇唔透你想點呀！

呢份job睇嚟都進行唔到落去啦……
……
睇嚟我實在摸唔透你嘅心思，我都係退返兩成畀你，其中一成我當草稿費算。
嗯，好吧。
我戶口是xxx-x-xxxxxxx
聽日入返畀你。
佢呢種根本唔知自己想要乜嘅情況，真係好難試畀佢睇，如果佢同意嘅話退款就最好，乾手淨腳。
其實之後佢重想我幫佢畫微信icon，但我拒絕咗。
勉強冇幸福……

CH 06

回憶記念

FREELANCER
SURVIVAL
MANUAL

2019

閃
嗢噢!
咦，中學同學PK仔搵我喎，到底乜事呢？應該都唔慌好嘢啦！
我想你幫我畫張親戚結婚相，跟住重有另外一張，即係一共想畫兩張呀。
咁你出幾多錢先？
一張兩百！
睇你另一張想畫乜，我先決定接唔接啦！

我想你幫我畫我同中五暗戀個女神「小恩恩」咀咀嘅相呀！佢係我一生至愛嚟㗎！
哇！要我畫啲咁××嘅畫面，付出同收入絕對係唔成正比喎！
我唔識畫呀，我淨係畫你親戚嗰幅嘢算啦！

喂，新娘粒癦要向左移少少先，呀應該係移上多啲啲。
花要密啲密啲！
我覺得隻眼好似大咗啊都係唔好，細返啲啦。
呢個價錢包埋印嘢㗎可？
之後番
係喎我有隻game想玩，去網上徵求部GBA先。
最後幾經辛苦，總算得到一部GBA……
哈哈我都知道你想要GBA㗎喇，不如我畀我部GBA你當二百蚊啦！

CH 07

神秘的來賓

FREELANCER
SURVIVAL
MANUAL

2019

2008年科大未完之約，當年係有同人攤位嘅，雖然一般只有六至八檔，但對新手嚟講都算值得一參，只係地方比較偏遠，所以比較少人參展。
未完之約
①
首先客人揀完貨物。
OK
要呢個
②
我開張寫上價錢嘅單畀佢。
$15
③
將單攞到大會攤位找數。
$15
大會
④
大會蓋印後，客人再將單交到我手。
$15
而買賣交易方式唔係直接交易，而係好似吉之島（而家叫Aeon）模式，有啲複雜。原因估計同校方限制唔可以直接金錢交易有關。
⑤
拿取貨物。
突然我眼前出現咗一對黑絲……

唰呼呼呼呼——
咦？點解我會有你個襟章嘅？
吓？你之前買咗咪有囉……
哇你隻腳好靚呀！
你唔好食我豆腐喔！
把你 nice boat 掉
你做乜咁多口呀？
咁係靚吖嘛！
就完場，所以要去大會攤位結算。
$15

恭喜晒呀！
LORD OF THE RINGS
LORD OF THE RINGS
你係今日生意最好嗰個，所以送個獎盃畀你留念！
?
?
千祈唔好拎來裝豆腐花……
……
於是我憑六百蚊嘅生意額，獲得一個好似係《魔戒》某精靈公主頭像嘅獎盃……

CH 08

笑面虎

FREELANCER
SURVIVAL
MANUAL

2019

某年啱啱中學畢業，有個人到我留言版問我做唔做畫畫暑期工，見工時先知佢係某遊樂中心嘅設計部經理，我就應徵做插圖員。
我見工嗰陣，佢咁同我講……
你知唔知點解我請你？就係因為上一手個人偷嘢所以炒咗佢囉。
就係咁，我迎來了人生第一份工。
貨倉
不過…
我覺得自己似做倉務多……

佢畫風大約係咁。
哼，你哋啲嘢冇乜靈魂，要跟我畫風來畫先得。
枱頭唔好貼自己畫嘅畫呀，咁樣會冇進步㗎，要貼就要貼其他人畫嘅畫！
快啲收埋幅畫先……
又有一日
我知你喺某遊戲雜誌畫緊四格連載，我哋公司都出咗隻投籃game，可唔可以叫佢哋免費登廣告呀？
呀重有，你有擺開同人場嘅，不如我哋一齊夾檔啦，檔名就叫「水樹貓BALL」。
吓，咁都得？
最後一系列原因，我兩個星期後就唔撈啦。
可能又對下一手接我份工嘅人話我因為偷嘢俾人炒咁。

半年後某次擺檔遇到條友，居然重同我打招呼。
我冇做嗰間公司喇，而家係自由designer。
係呀……
更向我補充話我上手偷嘢嘅係當年某名女性向熱門作者……
作嘢咩？
後來佢又做咗保險佬同淫攝。
重搞咗個攝影群，專貼性感艷照。
過咗十年後，佢因為請日本妹同台妹上影樓影艷照俾入境處放蛇，最後因涉嫌請黑工俾人告。日本妹同台妹坐咗唔知幾多日，跟住直到舊年十月輪到佢都坐埋。
陰功豬

CH 09

我要晒

FREELANCER
SURVIVAL
MANUAL

2019

×12
你哋覺得呢幾張咁樣質素嘅圖，成十二張值幾多錢呢？
某日舊同學「花姐」搵我。
喂，就嚟年尾我公司要做月曆，我老細口味，我見你畫風都好啱我老細口味，我想買你啲圖嚟印呀。
咁呀，你哋大約想用幾錢買呀？
五百蚊呀。

CH-09 我要晒

五百蚊一張似乎少咗啲喎……
啊，你似乎誤會咗喇。
咁你指嘅係？
我指五百蚊一套加埋十二張呀！
我公司用咗你嘅圖包你知名度大升呀！
係咪好著數呢！又有知名度又有錢收。
喂，你去邊呀！

CH 10

天堂返人間

FREELANCER
SURVIVAL
MANUAL

2019

呢個係一個我朋友嘅故事。
喺幾年前，我朋友很想有一本真正屬於自己名義出嘅商業本。
愛的呼喚
Three dog and Cat
花式晒命
但自資出版太貴真係畀唔起。
活在香港的口街
於是佢以漁翁撒網形式，將以前出嘅同人本節錄出嚟投稿。
稿
稿
出版社
然後等了又等……

你有一封新郵件
你好，我對你的漫畫很有興趣，我們約一個時間見面吧。
於是我朋友帶埋作品去出版社。
你哋好……
哇、佢咪係某知名人士，原來佢喺度做！
我哋可以入房傾呀。

經過漫長嘅討論……
你好呀。我係呢度嘅編輯阿S。
出盡特別嘅說話技巧嚟講述故事。
XYZ……
時間一分一秒咁過去……
滴答…
滴答…
好呀，我覺得個題材好啱我地出版社方向，合作愉快！下星期我哋簽份出版合約啦。

於是畫咗幾章故事交畀佢哋睇。過程都好順利。
而佢哋亦收貨，亦計劃咗三個月後出版。
於是繼續畫，已接近一半完成。
我畫到一半啦，可以畀你哋望下先嗎？
我哋未必有時間睇呀，因為我哋兩個下個月都唔做呢度喇……
唔係咁玩我吖嘛？

於是，我朋友帶住一半嘅稿去見公司幕後嘅總編。
我睇完你份稿，故事有好多修改嘅必要。
例如呢格。個小朋友小便淋熄火嘅畫面太低俗，你要刪除佢。
你連同人本都唔好畫喇！
不如你改題材重畫啦！
出咗書後，要保持形象，你網上唔畀講粗口。
你考慮清楚，唔係我哋合作唔到。

於是，佢放棄咗喺這間出版社出書。
一切都係白費心機吧？
隔咗一日，另一家出版社編輯問有冇興趣接job。
之後我朋友向佢講返遇到嘅事。
呀……好呀！
你帶作品上來傾下啦。
於是成功出版《活在香港的〇街》一至三全彩繪本了。

腳麻痺……

CH 11

某會一日遊

FREELANCER
SURVIVAL
MANUAL

2019

某日，我參加咗個商會會議。
合共 ABC商會
$200000000
生意額
化咗妝
點解我會去商會呢，事緣係因為我朋友開講座，我想支持下。同埋見識下咩叫商會聚會。
XX的商業發展注意事項
每個商會都要交入場費嘅，呢個都唔例外。
卡片
$
$
唔
入到去我就去搵我朋友啦。
陳小球
重有要畀卡片。

呢個係各行各業中產嘅聚會，但我唔係中產，所以我當見識下咋。
你不如同其他商家傾下偈派下卡片咁啦。

先生我哋可唔可以認識下交換卡片。

卡片
卡片

$20000000
之後我又派咗卡畀後面嗰位小姐。
你做畫畫㗎？

唔知你有冇畫開義務工作呢？

呀，我應該只接有薪工作。
義務工作咪即係免費工作？
過嚟，畀張紙你，試下你畫功，畫下我啦！
即刻畫我表現唔係咁好……
咁突然我都冇心理準備……
唔知邊度來的白紙
畫得唔好至多咪唔搵你畫囉，哈哈哈。
呢個時候我係咪應該要笑……
基於禮貌，拒絕唔到……
畫完張嘢後，又再派卡，本身有小食都冇食到。
最後我得到十幾張卡片，各行各業嘅人士都有。
殯儀
保險
金融
水
健康產品
茶…etc

之後就係謎之廣告時間，會員有一分鐘，嘉賓有三十秒。
ABC
Members 1 min
Guest 30 sec
每個人都出盡力講自己搞乜、做咩行業，一夠鐘就俾人叮走。
保健
保健
因為我係guest，所以得三十秒同唔用得電子board。都係講下自己做過乜之類。
XYz……
DESIGN
營商環境
其實我主要都係支持朋友個講座先嚟嘅。
搞咗一輪又講下會員宣言之類就開始我朋友嘅講座。

最後，我收到一張入會申請……
$$$$
入會

雖然唔係話畀唔起，但好似同自己格格不入，要考慮下。

……
但我收到健康用品老細張傳單……
爛肉變好肉
癌症三日好
只需XX寶

又諗到頭先畀人捉畫嘢……
唔知邊度來的白紙

呢個圈子都係唔適合我嘅啦。

CH-11 某會一日遊

後話
有人教話收到人卡片要add返
人whatsapp打多聲招呼。
HEBE
19:35 pm
我想問呢，你決定入唔入商會呀?
應該會考慮下先。
已讀
……
被已讀不回。
喺呢啲情況唔使灰，
道不同不相為謀，其
實冇乜嘢。

另一商會講座…
小姐你好呀，唔可以交換卡片呀？
嗯…

走嗰陣……
之後問嘢條女重打我尖。

默默回收。
畫嘢呢行喺有啲人眼中係睇唔起嘅職業，其實習慣就好。
上次學校飯局都有人(尤其係女)用睇唔起人嘅眼神望我，同我講多句都唔想。

CH 12

漁翁撒網

FREELANCER
SURVIVAL
MANUAL

2019

有時啲客鍾意漁翁撒網，周圍搵一大堆人嚟報價。
客
今次故事就由某封電郵開始，大約講對我啲圖有興趣，想見一下面咁。
工作內容大概就係設計佢哋公司啲角色咁，見面之前我亦準備咗作品集。
作品集
見面當日，某個星期三下午。
ＸＸ商業大厦

當我一打開門，見到嘅景象係……
好鬼多人，我重以為診所輪籌。
會客室
因為我本身約咗三點八，所以等多兩個字就入到去。
3:30 pm

我哋想你設計一個能夠代表我哋公司嘅角色，但價錢方面暫時唔可以傾住，因為重未落實邊位設計師做好。不如你試下返去畫張稿畀我哋睇先。

唔係咁玩我吖嘛。

呃……

我以為主動搵我應該淨係見我，搞到好似皇帝選妃咁，早知咁我就唔去見啦……

試係可以，但要收試工費……

你大約收幾多？

結果畫完試工後就被DQ咗，好彩之前有提出試工費，算係冇咁蝕……
唔係呢個樣
畫黎頂住先

CH 13

物以類聚

FREELANCER
SURVIVAL
MANUAL

2019

某年書展，某位作家網友介紹咗位書商經理我識，話睇下大家有冇機會合作。
好。
你地傾住先，我重有啲嘢要搞。
你好！原來你做設計㗎？咁第日可能會搵你合作喎！
我哋之前搵嗰個設計師好貴，應付唔到開支呀！
美佬史

吓……封面我接親
都過千㗎喎……

係咁呀……哈哈……

之後大家都冇聯絡喇。

賣魚
垃圾
event02
無下屆
D4P
出口
723

CH 14

現在已夜深

2:45am
有一晚，當我享受緊深夜嘅寧靜，開始我好耐冇掂嘅遊戲。
叮！
突然有人pm我問價。
咁有生意冇理由唔接嘅，剛巧我同boss大戰緊都要停一停，拎起手機回pm。

CH-14 現在已夜深

都係咪住先？我都係想咁做，又可唔可以？
於是，同佢來來回回都搞咗無限次，大戰兩小時。
X N次
都係唔使啦，拜拜。
搞完一大輪，搞到連機都冇心打嚕。

CH 15

物價停留

FREELANCER
SURVIVAL
MANUAL

2019

X sir 來電
好耐冇見啦，我係乜蛇呀，之前我哋合作過嘅呢！
乜sir
我哋有份job想你幫手整下呢。
咁係乜嚟呢？
XX組織
電話:xxxxxxxx
mail:xxxxx
我哋想整個原子印呀，好簡單啫，拎啲字型放晒公司名電話上去就得。
我想問你收幾多呀？
好問題！
咪以為排版好簡單
XX組織
電話:xxxxxxxx
mail:xxxxxxxx.com
叫你試N個字型
試N隻色
試個大小
重有啲未估計到嘅嘢。

咁貴㗎，你唔可以用返上次個價幫我整咩？
上次
↓
十年前

CH 16

等了又等

FREELANCER
SURVIVAL
MANUAL

2019

等了又等
小球，我個活動想搵你畫圖，筆直$xxx，你ok嘛？
好呀，有主意就話我知等我開工啦。
過了一排…
好似過咗一段時間，我可以開始畫未呀？
唔問你都唔講……
我搵咗贊助幫手畫，唔使你畫喇！下次再搵你啦！

11-3

CH 17

搵錯報價

FREELANCER
SURVIVAL
MANUAL

2019

雖然一般嚟講，只要我做到嘅就乜單都接，但都有啲單係想接都接唔到嘅。
呢日，我就收到一個報價嘅fax……
真係唔明白點解啲公司重係要用fax機。
我又唔係成日開機，因為唔係成日有呢啲單。
XX公司報價
我通常接嘅單多數都係插圖系、漫畫系、網頁設計、少量設計排版等。
有次亦同表弟合作接job整網頁game。
當我一睇張單，就即時決定唔接……
竟然係叫我做紙皮盒報價……

攝影
A 造字型
三次投球
攤位遊戲
除咗整紙箱外，我重遇過唔少其他嘅報價。不過我能力問題就做唔到喇！
寫App
招牌
整招牌
3D
為咗唔局限自己發展空間，舊年就開始學3D，睇可以擦出咩新火花。
希望可以試多啲唔同嘅嘢啦！

X BALL
swatch
XX傳
特典
貨
貨

CH 18

戀愛顧問

FREELANCER
SURVIVAL
MANUAL

2019

除咗接job，好耐以前都試過教
小學生畫嘢嘅，又係朋友介紹。
但人工就……
結果我哋淨係招到
兩個學生，每堂收
八十，即係每堂我
只得四十蚊……
負責人
唔，一係咁啦，學生
我搵畀你，我出地方
你教，條數對半分。
嗯，你盡量搵夠四
個學生啦。
回想片段…

本身我係逢星期六下午四點上堂嘅。
上一堂老師死都唔肯走，我喺門口企咗四個字！
無視
最終等到上一堂嘅老師走咗，總算可以開始上堂啦。
你知唔知頭先個王老師同男朋友分咗手冇耐呀？咁你又有冇拍拖？
學生A總會先問拍拖問題。
之前有個男同學偷偷放咗份禮物喺我櫃桶，我唔鍾意佢，但佢送得畀我就收啦！

另一個女仔就好專心畫緊佢幅畫。
個身畫肥啲……
扣返頭先多出嚟嗰四個字，今堂上堂時間到，係時候落堂喇。
吓我未畫完喎……
你哋得閒我唔得閒呀！
都唔爭在啦，我反正好得閒呀。
我只能望住個鐘等待時間嘅流逝，結果佢哋家長要成一個鐘後先肯出現接人。
幾時走得
最後我頂唔順，放棄咗教畫班。
唉，好攰，你幫我畫埋啦……
TV
之後我做咗同學B嘅上門教畫老師，但佢變得好鬼懶……

同學B成日畫畫下嘢走咗去玩Running Online。
你玩緊咩呀？Running Online？點玩㗎？
狂撳鍵盤咁玩囉。
當時我唔明係咩意思，
但之後我竟然有機會幫呢間公司畫嘢，發現原來真係狂撳鍵盤咁玩。

CH 19

不同的故事

今次又問我教唔教畫？重要初學嗰隻？
諗到曾經教過小學生畫，而且又做過客席漫畫講師（一堂），所以都覺得自己應該應付到。

開個價睇佢接唔接受先啦，如果佢接受就教啦。
FB Messenger

有冇得試堂？頭一堂免費咁？
冇呀。
你估試食咩……
之後見佢接受到個價，所以九月開始第一堂。

因為反正要就佢休息，我亦唔想咁早開始，所以約佢閒日下午兩點上堂。

喂你喺邊呀？已經夠晒鐘啦喎，重未嚟嘅？
Sorry呀，我而家喺梨木樹呀，我唔知要搭乜過嚟呀。
吓，約你兩點到，你兩點先來搵車搭……
上水站
冇計，落雨嘛。
之後三點左右先出去接佢……
教學內容基本上係我畫完一次，佢按返理解自己再畫一次，過程其實冇乜問題。

咁啦，既然你返凌晨工，不如你朝早一放工就嚟學畫啦，咁就唔怕遲到囉。
好呀！下堂試下先。
到咗下個星期……
提佢記得嚟先……
Hi，九點半前你嚟唔嚟到呀？
可以呀，我啱啱放工呀。
好。
到左九點，佢竟然早咗到，令我非常感動。
我嘅教育有成果喇！
你以為真係咁就改善到佢唔再遲到？你就想喇！
又到下一堂…
乜話？你返咗屋企唔早講，咁你幾點先嚟呀！

對應你嘅慣性遲到，我唔同你立份約真係唔得。
為咗應付佢成日遲到，唯有同佢約法三章。
約
•改時間三小時前通知
•不通知遲到扣鐘
•不補堂
唔係咁對我吖嘛？
後來第五、六堂都係佢有佢遲到，我有我扣鐘。
同埋為咗怕佢亂咁失蹤，所以都會今堂上完就直接收下一堂錢。
$
有時佢上堂會講下嘢……
唉，其實我老豆早年過身，而家一個人住blablabla……
咁又幾慘嘅……
當你以為我呢度講佢私隱好XX時，唔該等等先，睇埋下半部先決定鬧我都未遲……
對唔住呀，我今次遲到有原因㗎。
得喇，我冇乜興趣知，準備上堂啦。
我啱先約咗我老豆飲茶所以遲咗呀。

你老豆唔係死咗咩……？
冇呀，我之前當佢死咗咁啫。
咁都得？
之後又到第九堂，原先約咗佢星期四上堂，但佢話病，於是改星期五……
搞錯！約一點上堂，而家兩點半都重未出門口！
包容下啦，我應該會遲到。
大佬，照計的話根本已經扣晒鐘，你唔使嚟喇，我唔會再教你！
唔好咁啦，我病嘛！
88
終於講出嚟，唔使再教佢，舒服晒！
有病又食炸雞又串燒，搵鬼信咩！
今日午餐^_^
但當我反枱半個鐘後……佢就喺Facebook出新po......

差唔多時期，有位兄台問咗我教畫嘅價之後，結果搵返出面嘅教畫班，其實本身件事冇乜所謂。
但係你有畫嘢問題做咩重問我而唔問教你個阿蛇呢？
我畫得好嗎有乜要改？
但係……
當然亦有帶齊嘢加好準時嘅學生。

CH 20

只係備胎

FREELANCER
SURVIVAL
MANUAL

2019

之前曾經幫個客畫啲兒童向插圖都畫咗一排。
過程都算順利，一件件工作都及時完成。
示意圖
Good!
但某段時間開始，佢就唔再搵我。
?
再搵你。
於是……
係咪我做得差??
定係其他原因?

有一次，我突然見到Facebook彈返嗰個page啲圖出嚟……
示意圖
原來佢另外請咗個人模仿我畫風，但又跟唔晒咁去畫後面嘅圖。
嘛，一切我都明白喇。

CH 21

咋咋帝

FREELANCER
SURVIVAL
MANUAL

2019

某日一個幾年冇見嘅朋友話就結婚，就咁問我……
喂，我就結婚喇，你可唔可以幫我整個logo做請帖用呀？
Mary & Tom
有啲似呢味嘅。
因為我對設計唔算太在行，所以就問同學兼朋友C君接唔接嚟做。
可以呀，叫佢搵我啦。
好，咁我就覆佢啦。
之後我就冇理佢哋點傾喇，我繼續忙返我自己嘢。
同人畫集

時間又過咗一排，我問返朋友C單嘢做成點。
點呀，介紹你嗰份嘢做成點？收咗錢未？
吓，我未知佢會唔會畀錢我呀……
點解咁講嘅？
（講咗一堆圖嘅要求）
由於朋友C因大家都係中學同學嘅關係，唔敢咁快同對方講價錢。
改圖
改色
改字型
改大小
改……
Ban
Ban
Ban
Ban
呀，多謝晒！我結婚當日記得早啲到呀。
之後佢收咗幅圖，講咗句多謝就完喇。

哇，呢單嘢話晒由我介紹，我點都接受唔到免費午餐呢個行為出自我手上囉！
我一於扮唔知探下乜反應先。
之前你結婚件job都做咗好耐啦，想八卦下你畀咗幾錢佢呀？
吓？我見佢冇提，就以為唔使錢，佢送畀我咋……
咁唔得㗎……佢唔好意思開口啫，就算朋友都至少要收朋友價，唔係免費㗎。
咁我問返佢收幾錢啦！
最後朋友C終於拎得返佢嘅錢。但張圖最終冇用到，我同朋友C講，收咗錢就唔理佢點用了。
呢個就係點解我話要先小人後君子喇。起碼唔使做完先嘈吖嘛！

CH 22

擺檔的初始

FREELANCER
SURVIVAL
MANUAL

2019

你有冇興趣畫同人誌呀？
第一年參加同人活動係中學時代時，同校有位姐姐(月見)諗住出本，佢見我識畫幾手，就叫我喺佢本同人誌度插花。
當時嘅我對同人誌冇乜概念，以為同人誌等於搞基嘅書。
同人誌？同志？乜嚟㗎？搞基呀？
交稿……
呀，好……
因為實在唔知搞咩，所以求其交咗之前曾經投漫畫雜誌嘅寵物四格畀佢算。
我和我的愛龜
Hunter 同人漫
翻開
Hunter 小說
可以想像到當時佢收到我張九唔搭八插花嘅無奈。
我亦開始去CW15參觀參觀。疑似知道同人係咩一回事。
CW15
哇！原來係畫啲嘢自己賣！
我決定下屆一定要報檔出書！

第一次開檔始終一個人玩有啲淆底，所以就聯同一位同樣鐘意RPG風格嘅朋友建立雙人組織——further step未來旅程。
人手貼網同對白
INK
影印鋪老細——四眼佬
阻住我收工！
10:00 PM
每頁人手排版訂裝……
第一本同人誌以原創嚟講算賣得唔錯，當時我啲同學都有嚟買。
Further step
因為阿媽識車嘢嘅關係，所以車咗啲筆袋我畫嚟賣幫補下。
五分鐘即畫畫乜人物都得!!
要就出聲!!
另一方面亦會與阿卡嘅朋友鄰檔互相照應。

於是，組織紙皮盒就咁出現咗喇。（個名依然係hea改）

CH-22 擺檔的初始

CH 23

幸運兒

FREELANCER
SURVIVAL
MANUAL

2019

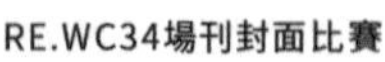
RE.WC34場刊封面比賽

HI KAU,

獎金現轉為價值超過$500的 figure,

有以下2個可以揀, OK嗎?(實物請看附件)
Jun’ 12 Half Age Character魔法少女小圓 1set (10 pcs) 或
Jun’ 12 C-Style Evangelion @ School 夏!水着! Ver. 1 set (9pcs)

請問你會揀那一SET?

謝謝

天拿水

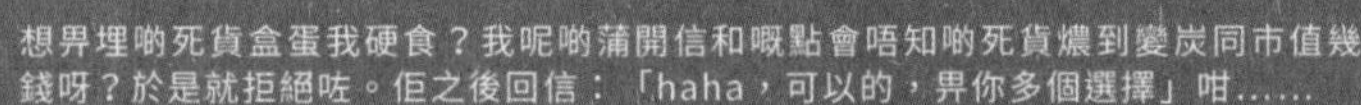

好多同人event都伴隨着抽獎活動，當開抽時每個人都立即拎出入場券對number。
又係抽獎時間!!
型の祭
大家都狂叫自己嘅票號，希望一擊即中！
中
中
0023!!
獎品係一本本身已連場刊附送嘅香港cosplay相集！
の祭 cosplay相集
當我衝上台嘅一刻心諗，這些機會終於屬於我喇！
到我臨走離場時，就有工作人員問我要唔要多幾本……

$12
$10
$10/3
一個 XX
一個 XXX
$40
PAD
PAD

CH 24

環保先鋒

FREELANCER
SURVIVAL
MANUAL

2019

都差唔多完場了，執書準備走人先！
港式XXX
出現～
HK本
見佢一抽二抽戰利品，想必一定係大客嚟㗎喇，算啦等佢睇完先執啦！
HK本
東方
HK本
哈哈哈哈
第一本 5min
第二本 15min
第三本 25min
第四本
哈哈
HK本
活動快要完結…

CH-24 環保先鋒

咪阻住我執嘢……
先生，有興趣就買本睇下啦。
挑
原來打書釘嘅，你當呢度大書局咩！
爽完閃人~
咩話，執膠樽？你唔係窮到咁敗家要用膠樽補貼吖嘛？
垃圾筒
執完樽後，他走向我身後已離場嘅男向組織……

此時，我先明白到，成堆戰利品都係執返嚟嘅。
環保小先鋒
喂，又有大陸組織派抱枕芯呀！
邊度！？
不想帶回去了，想拿多少就多少。
PS. 而家佢地已唔會抱枕，冇得派。
環保果然是美德啊！
空白抱枕山

CH 25

交收走數史

FREELANCER
SURVIVAL
MANUAL

2019

膠收與交收
除咗會場我會擺檔之外，亦會接受網上訂購同親身到旺角等地方交收。
通常我會喺活動過後就開始搞訂購表格，客人只需要填好聯絡、所訂購物品同揀好交收嘅方式我就會私下聯絡佢交收。
而T-shirt同手機殼等高價物品我一定會每個都收取訂金先會接受訂購，以防走數。
$50
OK
然後根據訂單再執好物品，貼好客人資料同交收編號，由頭至尾方便我喺交收日發貨畀客人同郵寄。
有一部分若連交收日面交都去唔到嘅話，我會用順嚟快遞寄去客人附近嘅順嚟站，非常方便而且好快到。
寄郵局我通常不考慮，好慢。
sf
面交嘅話我會定好某日到旺角交收，稱為集交日(集體交收日)。
如果交收人數少嘅話我會到信和交收，但多嘅話我會改為朋友旺角嘅樓上舖交收。
好喇，搞咗一大輪終於交收完，金錢同心靈都得到滿足，成件事真係爽喇係咪？
至奇。
總會有很多事阻延交收嘅順利度嘅！

就係……
走數
咁即係點呢？對住呢啲玩嘢之人心血少啲都唔掂。
個案一
上水MTR 7-11
成班人都交收晒，條友成四個字都重未搵到佢，打又cut我線，想點呀！
佢終於回我喇！
moving
下約去交收喎！
明明約咗交收，你同我講moving叫我咪打去！我就要打爆電話！
大佬咁[亻國]重，重要有兩卷掛布，你唔拎唔通我要拎返屋企呀！我約咗人出去㗎！
戲飛
我睇緊
……
畀張戲飛我睇證明你有不在場證據定乜意思？
之後終於約到佢喺一小時後嘅深水埗交收，本身想鬧下佢，但佢粒聲都唔出，搞到我都係拿拿臨交收走人算。

個案2
好嘢，又有訂單！
你好，我想做乜乜手機殼。
2week 後
你好呀，你個殼返咗嚟喇，請問你想點交收呢？
我呢排出唔到旺角呀，可唔可以放喺格仔店等我得閒就去拎呀？
於是我將件貨放喺我特登租嚟交收嘅格仔舖度。
之後就通知佢去拎喇，但查返記錄都隔咗成兩個星期冇去拎，於是問佢想點。
但我所有信息都被佢已讀不回
幾時拎
已讀
於是我發咗最後一個訊息，內容就係佢唔再拎嘅話件貨我會讓界第二個。
唔係吖嘛！條友走數！
終於肯回我喇啩！
之後，我就得到佢嘅回訊。
叮！
原來係FB遊戲邀請！
你走數都算，重要咁刺激我嘅小神經！
Noice邀請你接受 xx game 的挑戰!!!
乜而家叫人咪走數都要接受完挑戰先㗎！
於是我冇接受挑戰，將個殼減訂金賣畀第二個喇！

交收走數藉口精華

基本上遲到嗰啲小事嚟，發洩吓就冇嘢……

「yo下你」

有時有人問完一大堆嘢，又send個sample又講成日，已經決定買㗎喇。但半個鐘就話：「都係唔要喇，屋企原來有個殼。」

EQ低

不過大部分朋友都好守信，呢個就係我重肯做交收的原因之一，總之多謝支持啦！

CH 26

工作流程

FREELANCER
SURVIVAL
MANUAL

2019

講咗咁多案例，不如分享下其他嘢。
講下我目前接job繪畫嘅收費程序啦！
其實每次接job，都係一場心理戰。
心理戰start!!
①
先討論工作內容
我想咁
咁咁
可以咁咁咁……
②
HP
價ok？
平D ok？
HP
③
工作前先付大約三成訂金。
客
訂
合約
加有時會寫合約

③
第一次草稿，客人OK就到下一步。
OK!
④
第二次線稿，客人話OK就再下一步。
客
⑤
第三次上色，可先上配色，客人OK就可細緻上色。完成就可以就準備正式交稿。
Good!
客
係咪成件事好完美呢？
你就想喇！
⑥
客
尾
確認入數後，即刻將畫稿發界客人，完成！
FINISH♡

咪住先，我都係有嘢要再改！
客
尾
世事往往不盡如人意……
客
尾
我都係越睇越覺得怪怪地，你都係改下畀我睇先。
於是日子一日一日咁過去……
12
11
10
9
搞到比想像付出嘅時間多絕對係家常便飯。
不過成功收到數已經好好㗎啦。

CH-26 工作流程

CH 27

定價的方式

FREELANCER
SURVIVAL
MANUAL

2019

之前有啲朋友想問我報價點報法，我就喺呢度大概分享下啦。
How to 報價 (只供參考)
畫poster幾錢？
畫facebook宣傳又幾$？
客
客人好多時都只會直接問你幾錢，主要因為唔識分唔同畫法有咩價錢上嘅分別，以為統一價。
(參考資料：我)
① 簡單
· 便宜，但快完成
·(多啲來，密D手)
② 中等(不連背景)
·兩天至幾天
·(日本feel少女為主)
(若有簡單背景加少少$)
③ 複雜
·雕花咁雕
·好多日
·貴
ps.簡單例子，其中可以再細分上中下
所以我會先畀一個畫法list佢參考，雖然實際上好難話仔細劃分，但至少可以令客人心中有個底。
另外重有一種情況……

再詳細一啲嘅話，你可以同客表示「逐件計」，即係畫面內想越多嘢就按件計費。比如個客要求要有香港特色，當然想你塞越多嘢越好。
主體
小配件
可切成一個大背景
配件每件計
更小物件
人物精細度＋數量＋用途＋時間＋附加＋修改....etc
各位可自行衡量下價位。
當年自己唔識就只開咗個固定價，搞到後來個客無限量塞嘢入去，搞咗我兩個禮拜......
第一版
・用了一week
・改無數次
・重畫
勁多人
又用一week

CH 28

找尾數

FREELANCER
SURVIVAL
MANUAL

2019

找尾數
①
張生呀，請問幾時入到尾數呢？
②
你想話我走數呀
你唔係咁講吖嘛
③
唔係，你唔好誤會，只係你之前話九月入，想同拍檔交代返嗜
我都唔知上頭幾時批，等下啦。

找不到人
①
打畀張生睇下點改先。。。。。
3hours ...
做住其他嘢等佢回先、
3 days....
已讀不回...

$12
$10
woody
可餵食
文記大牌檔
Doooook!
$100
$35
$35

CH 29

困難的支票

FREELANCER
SURVIVAL
MANUAL

2019

呢張係一張寄賣所得，但令人好苦惱嘅支票。
XX銀行
付 Ball Ball Chan
壹佰零捌圓正
$108.00
主要問題並非呢張係空頭支票，而係……
XX銀行
付 Ball Ball Chan
壹佰零捌圓正
直接將我筆名當真名寫上支票度，咁入唔到戶口㗎喎！
寄mail去報錯等咗兩個星期先有回覆。要我先寄返張支票去辦事處，佢會再寄過張真名支票畀我。
$1.7
過咗一個月
應該係我之前張支票啦啩。
喂，你有封信呀。
一打開望到張支票……

佢串錯我一個英文字……
本身是A
XX銀行
壹佰零捌圓正
$108.00
我急忙開返我個電郵對下，發覺我冇串錯到，於是我又要電郵同返佢講。
今次又係要成兩個星期先回信，係咪真係咁忙呀？
請寄返張支票畀我。
$1.7
於是我又再損失咗個七同一個信封。
再過咗一個月，終於又收到支票。
喂，你又有信。
求神拜佛唔好又寫錯我個名呀吓……
結果等咗成半年，我終於得到一張一百零八蚊嘅支票喇！

CH 30

回頭草

FREELANCER
SURVIVAL
MANUAL

2019

其實有時由零變一，容易過由一改成二。
某日，有個大陸客問我……
我想你画个乜乜女体拟人化呀，你收几钱呀？
我收XXXX蚊呀。
咁好啦，我迟啲搵你啦。
通常講遲啲搵你嘅都多數唔再搵你㗎喇。
點知過咗九日，條友竟然搵返我。
救命！帮忙
咩料？條友真係決定搵我畫呀？

CH-30 回頭草

我叫人画的图画坏了，我想你帮我修改啊！
挑，之前嫌貴就唔肯搵我，而家有蘇州屎就塞畀我咁話啦喎！
咁，你出幾錢？
一百元，我想应该没问题的吧！
你自己改吧！

同人畫集
報價
invoice
Deadline
25號
寄

CH 31

對分半稿

FREELANCER
SURVIVAL
MANUAL

2019

中學嗰陣，我開始接第一份job，就係幫一本當時幾出名嘅電腦遊戲雜誌畫知名線上遊戲嘅四格漫。
點解可以幫手畫到？因為都係朋友介紹。本身朋友做同一間公司畫另一本雜誌，經佢介紹而做。
而本雜誌算稿費嘅方式有啲特別。
$150 全版
佢一頁稿費係 $150。
但佢地想篇四格印半頁，所以係 $75，對半分價。
xx online 專欄 15
起
承
轉
合
不過以前嚟講，有得畫已叫做有個機會，好過冇。

我將今期個故事畀你啦。
麻煩晒。
每期我都等專欄編輯畀故事我。
冇靈感～
但有時佢趕唔切畀故我，我就會幫佢作埋。
如是者，就咁過咗幾期……
由一半版面……
縮到四份一版面，唔記得有冇減稿費……
xx online 專欄
起
承
轉
合
到最後停停下又隔週登，總共做咗十幾期。
其實一本嘢冇問過你，但停下又登下，已經係cut欄先兆，唔使咁介意。入面有好多因素令你冇得做嘅。
係咪我做得差炒我呢？
完
(嗎?)

有時有好多原因令你嘅稿俾人cut……除咗你畫得唔好外重有以下原因：
①
我今個月唔做喇。
負責開你嘅編輯唔做。
②
公司
公司鬥水喉、改雜誌方向。
③
方針有變，唔想咁多圖。
要文字為主
字字字
圖NO!
④
想拖糧。
人工
重有其他…
以上情況喺我前兩三年曾畫過嘅雜誌「漫x」都有出現過。
爭D杉唔到稿費……
漫do

CH-31 對分半稿

CH 32

肚裏條蟲

FREELANCER
SURVIVAL
MANUAL

2019

某日，whatsapp中出現一句熟悉嘅開場白。
你好呀，我係乜乜介紹嚟，知你識畫嘢，我有嘢想你幫我手畫呀！
幾乎每個開場白都差唔多。
哦，咁你個客想要乜類型嘅圖呢？
其實我係做印刷公司嘅，想幫我個客搵人畫嘢啫！
客
就咁嘅，佢想畫四張書籤，主題就要表達到四個含意，包括勇氣、友情、勝利、希望（以上內容我有修改，意思大約差唔多啦）。
客

我就有個主意，不如你用獎盃當成吉祥物，代入啲書籤度表達含意啦！
不如你問下你個客想點先啦！
咁總共要XXX元先得。
NO!
佢哋係學校機構嚟㗎，收順啲得唔得呀？

我最低消費係xxx蚊，你要我收呢個價，就主題方面你哋要諗多啲，我跟返你哋意思做，會少啲爭執。
冇問題啦，我先入咗xxx蚊訂畀你(三成)，之後我問吓個客想點搞啦。
我真係覺得獎盃可以做吉祥物，試下先啦，效果應該唔錯嘅！
於是我畫咗四張根據佢風格的sketch。
示意圖
非真圖
入賬
3成
友情
希望
勝利
勇氣

Send完畀佢之後過咗陣……
唔得喎，個客話可唔可以試下其他風格，例如福娃嗰啲？
?
係你話要試我先畫㗎咋，自己又唔先問清楚個客想點……
嗱，最低消費好難幫你諗要畫乜㗎喎，不如你哋試諗下有乜動物可以表達到啦。
哈哈，其實我都唔知佢想要乜，你試下先啦！
於是佢send咗好多公仔畀我參考，又福娃又世界盃又盛，我都話咗最低消費唔會幫佢諗主意，但佢總係唔多明我意思。
所以到底佢想要乜風格？
咁樣
例2

即係話，如果佢實在地定到要用馬騮表達希望嘅feeling，我先可以做到界佢。但我好難幫佢畫隻「唔知乜嘢」出嚟。根本佢唔知想要乜，我更加唔會知，隨時白做。
咁呀，我都係返去問下佢想點先啦！
佢撻咗訂
完全搵唔到人……
然後過咗一日又一日……

CH 33

後語

FREELANCER
SURVIVAL
MANUAL

2019

喂，你喺屋企做嘢搵唔搵到食㗎？
唔返工你一定靠屋企養喇！你個富二代！
以前初初出來接freelance做主要職業時，俾人咁講真係好大壓力，覺得自己係咪真係咁逃避返工。
到而家聽得多，都變得不以為意啦。
吓？你講乜話？講多次？
$$$
我嘅家庭算比較自由，所以有固定家用上繳中央就OK。
而家重未餓死，都係多得各位好客戶支持。

順帶一提，星夜出版本身都係我客戶之一，因為同老細合作得好順利，所以就問老細有冇興趣同我出呢本書。
之前幫佢哋畫嘅三本封面。
另外一位客戶我幫佢畫嘢畫咗成七年，有時佢都會推介啲新客戶畀我。
今次超急件，一陣畫唔畫得掂畀我？
客戶
得啦，係咪又係例牌咁做就OK？

走數

又出現喇！又係呢個接job出現的萬年危機——走數。

你當然可以簽份約保障自己權益。

簽約時小心，睇清楚條款。

合約

基本上大機構job我都畀
先貨後收費外，其他都係
收咗訂先開工。
對我嚟講，訂金係信
任嘅方式，尤其從未
合作過嘅公司。
訂
除咗真係好熟嘅客
戶，互相信賴唔會
走數，我就可以唔
收訂先。
合作
但倒轉嚟諗，接得起
呢份訂金，亦令自己
多一份責任，盡力做
好工作。
千祈唔好收咗訂金就
懶懶閒，甚至人影都
唔見埋。
訂
客
信任係兩方面關係良好先
可以順利發展，只要其中
一方出現不信任，關係就
會破裂。
到時點救都救唔返嚕。

回返正題，若果你畀咗貨後佢走數你可以點做？
如果你拎住份約可以諗下告唔告人嘅。
合約
甲方
乙方
咁點算呀？
不過佢有心走數，你真係咬到佢咩！我都經歷過幾次同類情況。有約又點，佢實有方法避。
告我吖笨！
冇㗎，你除咗可以網上用不開名方式唱下佢外冇乜可以做。
ps. 只供參考
我畀某公司走數！
同正確嘅人成功合作都係一種運氣。

CH-33 後語

我同一位合作開嘅老細對話
我真係唔明白，啲稿費遲早要畀，點解啲人都要拖數？
每個老細好似你咁諗，世界應該會好和平。